KB094617

Rudolf Steiner 1861~1925

죽음,

이는 곧,

삶의

변화이니!

죽음,

이는 곧

삶의

변화이니!

루돌프 슈타이너 강연

최혜경 옮김

1918

뉘른베르크

Rudolf Steiner

루돌프 슈타이너의 강연집을 읽기 전에

인지학적 정신과학★의 근거를 형성하는 데는 양 기둥이 있다. 그 중 하나는 루돌프 슈타이너가 글로 써서 세상에 내보낸 것들이다. 이에는 처음부터 단행본으로 저술한 책 외에도 서간문과 논설문 등이 해당한다. 다른 기둥은 루돌프 슈타이너가 1900년부터 1924년까지 신지학 협회(나중에는 인지학 협회) 회원들과 일반인들을 대상으로 한 약 6000여 회의 강연 내용이다.

　　슈타이너 자신은 미리 쓴 원고 없이 자유롭게 강연한 내용이 활자로 인쇄되어 전파되는 것을 전혀 원하지 않았다. 슈타이너의 강연 방식을 고찰해 보면 그 이유가 분명해질 것이다. 강연이란 보통 연사가 미리 정한 내용을 청중의 영적인 상태와 무관하게 전달하는 것이다. 슈타이너는 청중의 영적인 요구사항을 직접적으로 강연에 참작했다. 청중의 '영혼생활 속에 일어나는 울림을 귀기울여 듣고' 그렇게 '듣고 있는

★ 인지학적 정신과학_ "인간 존재 속의 정신적인 것을 우주 속의 정신적인 것으로 인도하는 인식의 길"(출처 『인지학의 원칙』GA 26) 정신과학의 방법은 신비주의적으로 모호하지 않고, 현대 자연과학적 방법과 똑같이 완전한 의식의 명료한 사고를 통해 정신세계에 학문적으로 정확하게 접근하도록 한다.

★ 본문에서 GA는 슈타이너 전집을 말한다.

것 바로 그 한복판에서 생생하게 공생하는 동안 강연의 골조가 생겨났기 때문에, 그런 전후문맥에서 시간적, 공간적으로 완전히 분리된 책은 실제의 강연과 거리가 먼 것이 될 위험이 다분하다. 바로 그래서 슈타이너는 "말로 한 표현이 말로 한 그대로 남아 있기를" 바랐다.

그런데 슈타이너의 그런 바람과는 달리 세월이 흐르면서 청중이 강연 중에 받아 적은 필사본이 꾸준히 확산되었다. 게다가 그 내용이 불완전하고 심지어는 틀린 부분도 있었기 때문에, 슈타이너는 그런 필사본을 어떤 식으로든 교정해야 하는 상황에 있었고, 그 과제를 마리 슈타이너에게 맡겼다. 속기사 선택, 출판을 위한 문장 검토, 모든 원고와 필사본 관리 등의 임무를 맡은 마리 슈타이너는 후일 〈루돌프 슈타이너 전집〉 발행을 위한 기준 노선을 제시했다. 현재까지 루돌프 슈타이너 유고국이 다소 간의 차이가 있다 해도 그 기준에 따라 약 360여 권의 전집을 발행했다.

루돌프 슈타이너는 시간이 부족해 필사본 중 극소수만 교정할 수 있었다. 그러므로 강연집을 읽는 독자는 "내가 검토하지 않은 필사본에 부정확한 부분이 있으리라" 는 슈타이너의 말을 반드시 염두에 두어야 한다.

_최혜경

죽음,

이는 곧

삶의

변화이니!

01 　우리가 정신과학의 영역에서 다루는 주제는 일상생활에 그대로 직접 적용할 수 없는 것들을 적잖이 포함하고 있습니다. 아니, 그런 것은 우리의 일상생활과는 완전히 거리가 멀다고 말할 것입니다. 그런데 실은 외관상 그럴 뿐입니다. 정신세계의 비밀에 대해 우리의 앎으로 수용하는 것은 매 순간, 매 시간, 언제나 우리 영혼을 위해 통렬하게 깊은 의미가 있습니다. 우리 개인에게서 멀리

놓여 있는 듯이 보이는 것, 바로 그것이 실은
대부분 우리 영혼의 가장 깊은 내면에서
필요로 하는 것에 극히 가깝습니다. 물체
세계, 감각 세계에서의 중점은 우리가
그 세계를 마주 대해 연구하고 배우면서
그 세계의 내용을 익히는 데에 있습니다.
정신세계의 경우 그 근본적인 중점은 그
세계가 사고 내용으로, 표상으로 우리에게
제시하는 것을 우리 스스로 철저히 사고하고
표상하는 데에 있습니다. 그렇게 하면 그
사고 내용이 적잖은 경우 우리 영혼 속에서
완전히 무의식적으로 계속해서 일을 합니다.
인간 영혼이 매달려서 계속해서 작업하는 그
사고 내용이 외관상으로는 우리에게 상당히
소원해 보이지만, 다른 무엇보다도 특히 우리
영혼 속의 고차적인 것과는 실제로 굉장히
가까운 관계에 있을 수 있습니다.

02   우리가 특정 관점에서 이미 자주
다루어 온 주제를 오늘은 다른 관점에서 다시
한 번 고찰해 보기로 합시다. 물체 세계에
사는 인간으로서 우리에게 외관상 굉장히
소원해 보이는 주제는 바로 죽음과 새로운
출생 간에 흘러가는 삶입니다. 여러분과
이미 다른 여러가지를 다루면서 충분히
준비했으니, 그에 관한 몇가지를 올바르게
이해할 수 있도록 정신연구에서 나온 그대로
꾸밈없이 이야기하겠습니다. 이 주제를
이해하고 조망하기 위해서는 반복해서
언제나 새롭게 숙고하는 수 밖에 다른 방도는
없습니다. 그렇게 하면 이 주제는 인간 영혼
속에서 그 자체의 힘을 통해 이해가 가능한
것으로 바뀝니다. 이 주제를 이해하지
못한다면 그 사람은 자신의 영혼 속에서
그에 대해 충분히 자주 숙고하지 않았다고

먼저 인정해야 합니다. 이 주제의 연구는
정신과학으로 합니다. 그 이해는 영혼 속에서
항상 다시금 반복해서 철저히 다룰 때에
가능합니다. 그것은 인생을 정확하게 관찰할
때 우리에게 다가오는 사실에서 증명됩니다.
인생의 사실 정황에서 확인된다는 말이지요.

03   먼저 이야기하고 싶은 것이 있습니다.
실은 여러 강연나 다른 고찰에서 이미 볼
수 있듯이 죽음과 새로운 출생 간의 삶을
관찰하고자 할 때 난관이 하나 놓여 있습니다.
그 삶은 여기 물체 세계 안에서 육체의 기관을
통해 표상하는 바와는 완전히, 정말로 철저히
다르다는 것이 그 난관입니다. 전적으로,
완전히 다른 표상에 익숙해져야 한다는
것입니다.

04   여기 물체의 차원에서 우리가 주변에

있는 대상물과 관계하는 경우를 한 번 봅시다.
우리는 이 물체 세계에서 우리를 둘러싸고
있는 그 존재들 중 작은 부분만이 우리의
행위와, 즉 우리의 의지 표현과 다음과 같이
말할 수 있는 방식으로 관계한다는 것을
알고 있습니다. "우리의 의지 표현은 주변에
있는 대상에 쾌락이나 고통을 준다." 물체의
차원에서 우리가 동물계, 인간계라 부르는
부분과 관련해 그렇게 말할 수 있습니다.
그에 반해 일단 공기와 물에 들어있는
모든 것을 포함하는 광물계 전체에, 그리고
본질적으로 식물계 대부분에는 행위가
우리에게서 유래하는 경우 흔히 쾌락이나
고통이라 부르는 것을 위한 수용성이 없다고
아주 당연하게 확신합니다. 물론 이 주제를
정신적으로 고찰해 보면 사실이 좀 다르다는
것을 알 수 있습니다. 그런데 이것은 지금

중점이 아닙니다.

05   이른바 망자가 있는 곳의 주변
환경에서는 그렇지 않습니다. 망자의 주변
환경에 속하는 모든 것은, 망자가 무엇을
하든 언제나 쾌락이나 고통을 느끼도록 되어
있습니다. 망자가 움직이는 것을 생생하게
그려보십시오. 망자의 그 행위로 인해 주변에
쾌락이나 고통같은 느낌이 일어납니다.
그런데 망자는 이에 대한 책임이 전혀
없습니다. 망자의 행위로 인해 일어나는
쾌락이나 고통은 절대로 망자의 탓이
아닙니다.

06   정말로 그 상태에 있다는 듯이 입장을
바꾸어 보아야 할 뿐입니다. 죽음과 새로운
출생 사이에 거치는 삶이 그러하기를,
그곳에서는 우리가 하는 모든 행위가 주변에

반향을 불러일으키도록 되어 있습니다. 바로
이 생각을 수용해야 합니다. 죽음과 새로운
출생 사이의 모든 시간에 우리는 주변에
쾌락이나 고통을 불러일으키지 않고는
아무 것도 할 수 없습니다. 앞에서 생생하게
그려보았듯이, 우리가 손가락 끝만 움찔해도
주변에 쾌락이나 고통의 느낌이 일어납니다.
왜냐하면 여기 물체의 차원에서 광물계로서
우리 주변에 있는 것, 그것이 망자를
위해서는 존재하지 않기 때문입니다. 우리가
식물계라 알고 있는 것도 역시 존재하지
않습니다. 제 저서 『신지학』*을 읽어 보면
알겠지만, 망자의 세계에는 식물계와 동물계
역시 완전히 다른 형태로 존재합니다. 이
세상에서는 식물계와 동물계가 특정한

---

* 『신지학: 초감각적 세계 인식과 인간의 목적에 대
한 소개』 (GA 9)

의미에서 느낌이 없는 범주로 존재하는데,
정신세계 안에서는 그렇지 않습니다.

여기 물체의 차원에 있는 것들 중 망자의
주변에 있는 것과 비교할 수 있음으로 해서
망자에게 특정한 의미가 있는 첫 번째 범주는
동물계입니다. 물론 여기 물체의 차원에서 볼
수 있는 개체로서의 동물이 아니라, 동물의
작용 방식을 말하는 것입니다. 망자가 있는
주변 환경 전체는 동물이 작용할 때와 같은
식으로 작용합니다. 인간이 어떤 행위를 하면
쾌락이나 고통이 일어나는 식으로 주변환경
전체가 반응합니다. 불체의 자원에 사는
우리는 광물성의 바닥에 서 있습니다. 바로
이와 똑같은 의미에서 망자는 동물성이라
부를 수 있는 환경 속에 살고 있으며, 그런
바닥에 서 있습니다. 그러니까 망자는
처음부터 우리보다 두 단계 더 높은 범주에

사는 것이지요. 망자의 활동 중에서 가장
외적인 활동을 주시해보면, 죽음과 새로운
출생 사이에 보내는 인생 전체는 동물계를
배워서 알아가는 데에 그 의미가 있습니다.
물론 우리가 이 세상에서 동물계를 배우 듯이
하지는 않습니다._우리는 동물을 그 외형만, 외적인
면만 배웁니다_ 죽음과 새로운 출생 사이에
보내는 인생 전체의 존속 의미는 사람이
동물계를 그 자체 그대로인 것으로서 점점
더 정확하게 배우는 데에 있습니다. 왜냐하면
죽음과 새로운 출생 사이의 삶에서 인간은
우주에서 나와 우리 신체를 조직하는 모든
힘을 준비해야 하기 때문입니다. 여기 물체의
차원에 있는 우리는 그 힘에 대해 아는
바가 전혀 없습니다. 어떻게 우주가 우리
육체를 그 가장 미세한 부분에 이르기까지
만들어내는지, 우리는 그 사실을 죽음과

새로운 출생 사이에만 알 수 있습니다.
인간은 특정한 의미에서 모든 동물적인
것의 합으로서 자신의 육체를 준비하기
때문입니다. 사람이 자신의 육체를 스스로
구축합니다.

07   이에 대해 더 정확한 표상을 얻으려면
오늘날의 인류와 상당히 거리가 먼 관념과
개념을 배워야 합니다. 자석이 남북 방향을
가리키면, 그러니까 자석의 한 쪽은 북쪽을,
다른 쪽은 남쪽을 향하는 것을 보면서
오늘날 사람들은 어떻게 생각합니까? 자력은
자석 자체에서 나오는 것이 아니라고 알고
있습니다. 지구 전체가 우주적인 자석인
바 자력이 지구의 남극과 북극으로 몰려서
그렇다고 확신합니다. 어떤 사람이 남북
방향을 가리키는 자석 자체에 자력이 들어

있다고 주장한다면, 그는 당연히 바보 취급을 당할 것입니다. 그런데 동물이나 인간 내부에서 태아로 발달하는 것에 있어서는 오늘날의 모든 과학과 모든 사상이 그 우주적 영향을 무시합니다. 예를 들어 달걀이 단지 닭 속에서 생겨난다고 믿는 사람이 있다면, 그는 자석 자체에 자력이 들어 있다고 주장하는 자처럼 바보 취급을 당해야 합니다. 달걀이 닭 속에서 생겨난다는 것은 우주 전체가 달걀의 형성에 실제로 관여하고 영향을 미치기 때문에 가능합니다. 여기 지구 상에는 달걀이 생성될 단초만 있을 뿐입니다. 달걀 속에서 형성되는 모든 것은 우주적 힘의 모사입니다. 그리고 닭 자체는 우주가, 즉 세계 체계 전체가 달걀을 만들어 내기 위한 장소일 뿐입니다. 인간도 역시 그 장소에 해당합니다. 바로 이 사실을 반드시 숙지해야

합니다. 죽음과 새로운 출생 사이에 인간은
고차 서열에 속하는 존재들의 협력 아래
우주를 관통하는 힘의 체계 전체에 일을
합니다. 인간은 죽음과 새로운 출생 사이에
언제나 일을 합니다. 정신세계에 있다 해서
아무 것도 하지 않으면서 빈둥대지 않습니다.
그곳에서는 인간이 정신적인 것 안에서 일을
합니다.

08 　　망자가 저 세상에서 배우고 알아가는
첫 번째 범주는 바로 동물계입니다. 그 세계를
올바르게 배운다는 것은 본질적으로 다음의
사실과 연결되어 있습니다. 망자가 어떤 일을
제대로 하지 않고 엉터리로 한다고 합시다.
그러면 즉시 주변에 일어나는 고통을, 아픔을
느끼게 됩니다. 어떤 것을 올바르게 하면
주변에 일어나는 쾌락과 기쁨을 지각합니다.
이런 식으로 쾌락과 기쁨을 만들어내면서

계속해서 일을 합니다. 그렇게 끊임없이
부지런하게 일을 하다 보면 인간의 영적인
것이 차츰차츰 변화하고, 결국 지상으로
내려올 수 있는 상태로, 지상에서 육체로서
살게 될 것과 조화를 이룰 수 있는 양식으로
바뀝니다. 이렇게 인간의 영적인 것이 육체
형태에 스스로 일을 하지 않는다면 절대
지상으로 내려올 수 없습니다.

09   인간이 죽음과 새로운 출생 사이에
가장 먼저 배워서 알아가는 것은 바로
동물계입니다. 그 다음 범주는 여기 지상의
인간계와 비교되는 것입니다. 광물계와
식물계는 일단 존재하지 않습니다. 그런데
인간계의 경우 그러하기를, 망자의
인간관계는 특정 방식으로_여기 지상에서 흔히
이용하는 개념을 빌어 표현하자면_ 제한적이라

말할 수 있습니다. 죽음과 새로운 출생
사이에는_죽은 후 곧바로 시작되기도 하고, 조금
지나서 시작되기도 하는데_ 사실 이 지상에서
전생이나 그 이전의 환생에서 업, 즉 카르마
karma를 통해 어떤 식으로든 연결되어 있던
인간 영혼에 한해서만 관계를 맺을 수
있습니다. 그 사람들이 아직 지상에 살아있든
이미 죽어서 정신세계에 있든, 그것은
무관합니다. 다른 영혼들은 망자를 그저 스쳐
지나갑니다. 망자도 다른 영혼들을 알아보지
못합니다. 동물계는 전체로서 지각하는
반면에, 인간계의 경우에는 지상에서 업으로
맺어졌던 영혼만 지각하고, 그들에 대해
차츰차츰 더 많이 알게 됩니다. 각 개인은
이미 여러 번 환생을 거쳤기 때문에 극소수의
사람과만 관계를 맺을 것이라 생각하면
오판입니다. 한 번 이 세상에 태어나면 수많은

사람과 업으로 인연을 맺기 마련입니다.
그 인연들이 얽혀서 연계의 망이 생겨나고,
그 망은 저 너머 정신세계의 지인들 위에
펼쳐집니다. 그 범위 바깥에는 우리가
전혀 모르는 사람들이 머뭅니다. 여기에서
여러분은 주시해야 할 중요 사항이 무엇인지
알아볼 수 있습니다.

"지상의 인생은 전 우주 안에서 인간을
위해 가장 강렬하고 내포적인 의미가 있다."
지상의 인생을 거치지 않는다면, 우리는
정신세계에서 다른 인간 영혼과 아무 관계도
맺을 수 없을 것입니다. 여기 지구상에서
업으로 연결되는 인간관계가 죽음과 새로운
출생 사이에 계속 이어집니다. 정신세계를
들여다 볼 수 있는 사람은, 이른바 망자가
여기 지상에서 업으로 연결되어 있었기
때문에 생긴 그 모든 인간관계에 어떻게 더

많은 관계를 차츰차츰 맺어가는지 볼 수
있습니다.

10   망자가 정신세계에서 접촉하는 첫
번째 범주인 동물계를 고찰해 보면, 그의 모든
행위는, 그것이 아무리 하찮은 움직임이라
해도 주변 환경에 쾌락이나 고통을
불러일으키는 식이라 말할 수 있습니다. 그와
달리 인간계 안에서 체험하는 모든 것과
관련해서는 망자가 영적인 면에서 사람들과
훨씬 더 내밀하게 연결되어 있다고 말할 수
있습니다. 망자 스스로 인간계 속에 있습니다.
좀 더 정확히 말하자면, 망자가 다른 영혼을
만나서 친해지는 경우 흡사 망자 스스로 그
상대방의 영혼 속에 들어 있는 듯한 상태로
체험합니다. 죽은 후에 사람이 다른 영혼과
만나서 친해지는 것은 여기 지상에서 자신의

손가락이나 머리, 혹은 귀를 인지하는 식과
유사합니다. 자신이 상대방의 영혼 속에 들어
있다고 느낍니다. 그것은 여기 지구 상에서
가능한 관계보다 훨씬 더 친밀합니다. 바로
이것이 죽음과 새로운 출생 사이에 다른
인간 영혼과 공존하기 위한 두 가지 기본
체험입니다. 그러니까 다른 영혼 속에 들어
있거나, 그 바깥에 있다는 것입니다. 이미
알고 있는 영혼이라면 교대로 그 바깥이나
그 안에 있을 수 있습니다. '다른 영혼과의
만남', 그것의 본질은 언제나 상대방과 하나가
되었다고, 그 상대방 속에 들어 있다고 느끼는
데에 있습니다. 어떤 영혼의 외부에 있다는
것은 그 영혼을 무시한다는 의미입니다.
인간이 여기 지상에서 대상을 바라보는 것과
마찬가지입니다. 어떤 것을 바라보는 동안
지각하고, 그것을 더 이상 바라보지 않으면

더 이상 지각하지 않습니다. 저 세상에서는
인간 영혼과 관련해 그렇습니다. 다른
영혼에 주의를 기울이면 즉시 그 영혼 속에
존재합니다. 그렇게 할 수 없다면 그 영혼의
바깥에 존재합니다.

11   제가 방금 상술한 것에는, 죽음과
새로운 출생 사이의 시간 동안 영혼들의
공존을 위한 기본 구조라 표현하고 싶은
내용이 들어 있습니다. 또한 죽음과 새로운
출생 사이에 인간은 천사, 대천사 등의 다른
고차 서열의 존재들과 관련해서도 역시
그와 유사한 양식으로 그 안이나 그 바깥에
있습니다. 단, 죽은 후에 인간은 더 높은
범주일수록 더 깊이 연결되어 있고, 자신이
그 범주에 의해 더 단단히 떠받쳐진다고
느낍니다. 더 높은 범주일수록 자신을 더

견고하게 떠받친다고 느낍니다. 그러니까
대천사는 천사보다 더 강하게, 아르하이*
는 대천사보다 더 강하게 자신을 떠받친다고
인간 영혼이 느끼는 것이지요.

12   오늘날에도 사람들은 아직 정신세계를
그런 것으로서 인식하기 어렵다고
생각합니다. 그런 어려움은 사람들이
정신세계의 비밀과 조금만 안면을 트면
상대적으로 쉽게 해결됩니다. 그런데
정신세계와 '안면 트기'라 부를 수 있는
것은 일종의 이중성을 띱니다. 그 중 하나는,
인간 본성 속에 영원한 요소가 들어있다고
절대적으로 확신하는 것입니다. 죽음과
출생을 거듭하는 영원한 핵심이 인간의 본성

---

* Archai_ 세 번째 고차 서열의 첫 번째 범주에 속하
  는 정신 존재. 원초 천사, 원초력, 빛의 정신, 시대
  정신 등으로도 불린다.

속에 들어 있다는 사실을 아는 것, 이 앎은
오늘날 사람들에게 굉장히 낯설기는 해도
생각보다 쉽게 얻을 수 있습니다. 인내심이
충분히 있기만 하다면, 제 저서 『고차 세계의
인식으로 가는 길』*과 다른 책들에서
상술한 길을 통해 실제로 그 앎을 획득할
수 있습니다. 그 길에서 그 앎을 얻을 수
있습니다.

13   다른 하나는 '정신세계 존재와의
직접적인 교류'라 부를 수 있는 것입니다.
정신세계 존재와의 직접적이고 구체적인
교류를 바탕으로 해서 어떻게 여기 지상에
있는 사람이 망자와 교류할 수 있는지, 그것을
오늘 이 자리에서 상세히 다루기로 합시다.

---

* 『Wie erlangt man Erkenntnisse der höheren
Welten?』 (GA 10) 1904/1905 (2013, 밝은누리)

죽은 이와의 교류는 물론 전적으로 가능한
어떤 것이기는 합니다. 그런데 방금 이야기한
첫 번째에 비해 훨씬 더 큰 난관이 버티고
있습니다. 사실 정신세계와 안면을 트는 것은
그렇게 어렵지 않습니다. 그러나 죽은 이와의
개별적인 교류는 가능하기는 해도 그 교류를
원하는 사람이 신중을 기해야 하기 때문에
굉장히 어렵습니다. 이 특이한 양식의 교류를
위해서는 엄격한 자기 훈육을 마다하지
않겠다는 마음가짐이 반드시 있어야 합니다.
정신세계와 교류하는 데에는 의미심장한
법칙이 있기 때문입니다. 그것은 다음과 같이
표현할 수 있습니다. "여기 지상의 인간을
위해서는 저급한 욕망에 속하는 것이 다른
쪽에서, 그러니까 정신세계 쪽에서 바라보면
더 고차적인 삶이다. 그래서 인간이 자신을
철저히 훈육할 수 없다면, 이른바 죽은

이와의 직접적인 교류를 통해 저급한 욕망과 충동이 일어나는 상태에 쉽사리 빠질 수 있다." 우리가 정신세계를 그저 일반적으로 만나는 경우, 달리 말해 영적, 정신적인 것과 일반적으로 관계하는 경우, 우리 자신의 영생에 대한 앎을 얻는 경우, 이런 경우에는 어떤 식으로든 불순한 것이 섞여들 여지가 전혀 없습니다. 그런데 죽은 사람 각자와 구체적으로 관계하면, 죽은 사람과의 그 관계가_참으로 기이하게 들리겠지만_ 언제나 우리의 혈액 체계와 신경 체계로 흘러듭니다. 혈액 체계와 신경 체계 안에서 펼쳐지고 소진되는 욕망 속으로 망자가 들어옵니다. 그러면 저급한 욕망이 일어날 수 있습니다. 물론 이는 자신의 천성을 훈육으로 정화시키지 못한 사람에게나 생기는 위험입니다. 바로 이것이 『구약 성서』에서 망자와 교류하지 못하도록 금지하는 이유*이기 때문에 이 사실을 일단은 강조해야 합니다. 망자와 올바른 방식으로 교류한다면 죄가 되지 않습니다. 그렇기 때문에 더 이상의 언급 없이 현대 심령술에서 하는 방법 역시 포기해야 합니다. 죽은 이와 정신적으로 교류하는 것이 죄는 아니지만, 순수한 생각으로 마음을 다해 그 교류를 소중히 다루지 않는다면, 이미 이야기했듯이 저급한 욕망을 콕콕 찔러 일깨우기 십상입니다. 망자가 그런 욕망을 콕콕 찔러 일깨운다는 것이 아닙니다. 망자가 들어 있는 요소가 그렇게 합니다. 우리가 여기 지상에서 동물적으로 느끼는 것, 바로 그것이 망자가 들어 있는 기본 요소라는 사실을 반드시

⌒

* 모세5경 중 신명기 18장 10절~12절. "망자에게 물어보는 사람이 … 한 명이라도 있어서는 아니되니. 주님께서는 그런 것을 하는 사람을 실로 역겨워하시기 때문이다." 이 외에도 사무엘상 28장 참조

명심하십시오. 망자가 살고 있는 범주는, 우리 내면으로 들어서면서 굉장히 쉽게 거꾸로 뒤집어질 수 있습니다. 저 세상에서는 사실 고차적인 것이 우리 내부에서는 저급하게 됩니다. 이 사실을 주시한다는 것은 굉장히 중요합니다. 이는 비의적인 사실이지만, 이른바 살아있는 사람과 이른바 죽은 사람 간의 교류에 관해 말하는 경우에는 발설해도 되는 내용입니다.

14   죽은 이와의 교류에 관해 말할 때 우리는 정신세계의 성격을 있는 그대로 올바르게 설명할 수 있습니다. 왜냐하면 그 교류에서 체험되는 바로 그것에서, 정신세계가 여기의 물체 세계에 비해 얼마나 다른지 드러나기 때문입니다.

15   이제 여러분께 이야기하고 싶은 어떤

것이 있습니다. 그것은 아직 형안의 능력을
완전히 양성하지 않은 사람에게는 필시
외관상 무의미해 보일 수 있습니다. 그래도
곰곰이 생각해 보면 우리 인생에 가까이
놓인 것으로 넘어가기 때문에 우리와 밀접한
것이기도 합니다. 형안의 능력을 완벽하게
양성한 사람이 망자와 교류하는 경우,
그 교류는 망자에 대해 무엇인가 안다는
것이, 그러니까 지각을 통해 직접적으로
알아본다는 것이 사람들한테 왜 그리 소원한
지 알아보는 방식으로만 이루어집니다.
정말로 기괴하고 이상하게 들리겠지만,
우리가 죽은 이와 소통을 하려면 여기 물체
세계에서 습관들인 교제 양식 전체를 완전히
거꾸로 뒤집어야 합니다. 이 세상에서 타인과
대화를 나눌 때에는, 그러니까 육체를 지닌
존재로서 육체를 지닌 다른 존재에게 말을

할 때에는 **우리가** 말을 합니다. 말이 우리
입에서 나온다고 알고 있습니다. 상대방이
내게 대답하거나, 혹은 타인이 우리에게
말을 하는 경우에도 그 사람의 입에서 말이
나온다는 것을 우리는 인지합니다. 그런데
망자와 교류할 때에는, 망자와 이야기를
나눌 때에는_이야기를 나누는 것일 수 있습니다_
그 관계가 완전히 뒤집어집니다. 상황은
바로 다음과 같은 식으로 뒤집어집니다.
우리가 망자에게 질문을 하거나 어떤 것을
말합니다. 그러면 우리가 하는 말이 우리
입이 아니라 망자의 입에서 나옵니다. 우리가
말하는 것을 망자의 입에서 나오는 것으로
듣습니다. 그렇게 지각합니다. 그러니까
우리가 망자에게 하는 질문이나 말을 망자가
우리 영혼에 영감으로 불어넣습니다. 그리고
망자가 우리에게 대답을 하거나 어떤 것을

말하면, 그것은 우리의 영혼에서 나옵니다.
이는 여기 물체 세계에 사는 사람에게 정말로
낯선 상황입니다. 이 세상에서는 말을 하면,
그 말은 당연히 자신의 존재에서 나온다고
생각하고, 그에 익숙해져 있습니다. 망자와
교류를 하려 한다면, 사람이 하는 말은 망자가
하는 말로 듣게 되고, 망자의 대답은 자신의
영혼에서 나온다고 생각해야 하고, 그에
익숙해져야 합니다.

16   이런 이야기들은 말의 추상성으로
인해 이해하기는 그리 어렵지 않습니다.
그런데 그것에 익숙해지기란 절대로 쉬운
일이 아닙니다. 물체의 차원에서 습관이
된 것과는 정반대의 형식으로 교제하도록
철저히 준비한다는 것은 상상할 수 없이
어렵습니다. 실로 기이하게 들리겠지만 죽은

이들은 언제나 우리 주변에 있고, 항상 우리와 함께 있습니다. 그런데 그들을 지각하지 못하는 주된 이유는 우리가 그 뒤집기를 익숙하게 해내지 못한다는 데에 있습니다. 어떤 것이 우리 영혼에서 생겨나면, 우리는 그것이 우리에게서 나온다고 생각합니다. 스스로 생각해냈다고 주장하는 것들이 실은 정신적인 주변에서 우리에게 영감으로 불어넣어졌다고는 생각하지 않습니다. 이런 것에 어떤 식으로든 내밀하게 주의를 기울이려 하지 않습니다. 우리는 물체의 차원에서 습관이 된 것에만 기꺼이 연결하고 싶어합니다. 주변에서 어떤 것이 다가 오면 다른 사람들 덕분이라 여깁니다. 이는 사람이 빠질 수 있는 가장 큰 오류입니다.

17 네, 이로써 살아있는 사람과 죽은

사람 간의 교류에서 보이는 특성을
부각시켰습니다. 여기에서 단 한 가지만
분명하게 숙지한다면, 달리 말해 정신세계의
모든 것은 거꾸로 되어 있으니 완전히
뒤집어진 자세로 임해야 한다는 사실을
마음에 꼭 새긴다면, 여러분은 정신세계로
뚫고 들어가려 할 때에 늘 이용하는 중요한
개념을 얻은 것입니다. 그런데 이 개념을
각각의 구체적인 정황에 적용하기가 극히
어렵습니다. 예를 들어서 물체 세계를
올바르게 이해하기 위해서도 역시 완벽하게
뒤집는다는 이 개념을 필수적으로 이용해야
합니다. 왜냐하면 물체 세계는 근본적으로
보아 구석구석 어디나 정신이 스며들어 있기
때문입니다. 현대 과학에는 이런 개념이
없습니다. 오늘날 사람들 사이에 인기있는
생각에도 역시 이런 개념은 없습니다. 바로

이런 연유로 오늘날 사람들은 물체 세계를 정신적으로 이해하지 못합니다. 이것은 기이하게도 이 세상을 이해하려고 정말 많은 애를 쓰면 경험하게 됩니다. 그런데 적잖은 경우 사람들이 정말로 이해하려고 애를 쓸 것이라는 기대를 하지 않는 편이 낫습니다. 몇 년 전 베를린 총회에서 괴테의 특정 표상에 연결해 인간 유기체의 외형에 관한 강의*를 한 적이 있습니다. 그 강의에서 두개골은 인간의 나머지 유기체를 완전히 뒤집은 모양이라고 생각할 때에만 그 육체적인 형태에 따라 이해할 수 있다는 것을 밝히고자 했습니다. 두개골을 얻으려면 장갑을 벗을 때처럼 우리의 팔뼈를 뒤집어야 합니다. 그런데 아무도 그것을 이해하지 못했습니다.

---

* 『인지학, 심리학, 정신학』(GA 115)에서 1909년, 1910년, 1911년 강의 요약 참조

그런 것을 이해하기란 정말 어렵습니다.
그런데 이 표상을 형성하지 않고는 해부학을
올바르게 배울 수 없습니다. 이는 제가 지나쳐
가면서 언급하는 사항일 뿐입니다. 그런데
이런 것을 알고 있으면, 오늘 죽은 이와의
교류에 대해 이야기할 다른 것을 좀 더 쉽게
이해할 수 있습니다.

18   여러분도 알다시피 앞서 상술한
것은 계속해서 일어나고 있는 중입니다.
여기 앉아 있는 그대로의 여러분 모두 실은
계속해서 망자와 교류하고 있습니다. 단
일상의 삶에서는 그 교류가 잠재의식 속에서
진행되기 때문에 인식하지 못할 뿐입니다.
형안적 인식은 마술처럼 새로운 어떤 것을
만들어 내지 않습니다. 형안적 인식은
정신세계 안에 존재하는 것을 의식으로

부각시킬 뿐입니다. 실은 여러분 모두
계속해서 죽은 이들과 교류하고 있습니다.

19   이제 죽은 이와의 평범한 교류에서
개별적으로 무슨 일이 벌어지는지 조금
알아보기로 합시다. 지인이 죽어서
저세상으로 가고 나만 혼자 남겨지면 다음과
같은 질문이 떠오릅니다. '세상을 떠난 그
사람에게 어떤 식으로 접근해야 그가 나를
내적으로 체험할 수 있을까? 어떻게 하면 그
사람이 다시 내게 가까워질 수 있고, 그로써
내가 그 사람의 내면에서 살 수 있을까?' 이런
질문이 떠오를 수 있습니다. 바로 이에 대해
제가 조금 전에 설명했습니다. 여기 물체의
차원에서 익숙해진 개념만 주시하면 이
질문에 결코 올바르게 대답할 수 없습니다.
여기 물체의 차원에서 우리는 깨어나서 잠이

들 때까지 평범한 의식만 펼쳐냅니다. 하지만 일상 생활에서 잠이 들어서 깨어날 때까지 저하된 상태의 다른 의식도 깨어나서 잠이 들 때까지의 의식에 못지 않게 인간 전체를 위해서는 중요합니다. 인간이 잠을 자는 동안에는 의식이 너무 저하된 상태라 그에 대해 아무 것도 지각하지 못할 뿐이지 사실 진정한 의미에서 무의식 상태에 있다고는 할 수 없습니다. 정신세계에 대한 관계를 파악하려면, 깨어있는 인간 뿐 아니라 의식이 마비된 상태에 있다 해도 잠자는 인간도 함께 다루어야 합니다.

20 여러분 자신의 인생을 한 번 되돌아 보십시오. 삶의 흐름이 언제나 중단되는 것을 볼 수 있습니다. 여러분은 깨어나서 잠들 때까지 일어난 일만 상술합니다. 삶이

중단됩니다. 깨어있는 상태와 잠든 상태, 다시 깨어있는 상태와 잠든 상태. 그런데 잠자는 동안에도 여러분은 존재합니다. 그러므로 인간 전체를 고려한다면, 깨어있는 상태와 잠자는 상태의 인간 둘 다 주시해야 합니다. 이제 정신세계와의 교류에 대해 알아보려면, 그에 더해 세 번째 것을 주시해야 합니다. 왜냐하면 그 교류를 위해 깨어있는 상태와 잠자는 상태보다 더 중요한 세 번째가 있기 때문입니다. 그것은 바로 깨어나는 순간과 잠드는 순간입니다. 사람은 거의 순간적으로 깨어나고 순간적으로 잠듭니다. 그 순간이 지나면 곧바로 다른 상태에 들어섭니다. 그런데 사람이 그 깨어나는 순간과 잠드는 순간에 대한 감수성을 양성하면, 바로 그 깨어나는 순간과 잠드는 순간이 정신세계에 대해 더할 나위 없이 유용한 정보를 줍니다.

21

깨어날 때를 한 번 봅시다. 여러분도 잘 알다시피 외곽의 시골에 가면_이런 것이 요즘에는 시골에서도 점점 사라지기는 합니다만_ 나처럼 늙은 사람들이 아직 젊었을 적에 시골에 살던 사람들이 말하기를, 아침에 깨어나면 곧바로 벌떡 일어나 창문을 열어젖혀서는 안 되고 어둠 속에 잠시 그냥 누워있어야 한다고 했습니다. 예전의 시골 사람들은 정신세계와 교류할 줄 알았습니다. 그들은 그것을 알고 있었습니다. 그래서 깨어난 그 순간에 가장 중하게 영혼을 통과하는 어떤 것을 기억으로 간직하기 위해 잠자리에 머물며 마음을 모으고자 했습니다. 우리가 깨어나자마자 곧바로 일상생활로 뛰어들면 그렇게 할 수 없습니다. 물론 도시 생활을 하는 사람은 어떻게 할 도리가 없기는 합니다. 도시에서는 아침에 깨어나는 우리를 방해하는 것이

일상생활뿐이 아닙니다. 빠른 속도로 달리는
자동차와 길거리의 소음 등 여러 가지가
우리를 방해합니다. 문명 생활의 유일한
목표는 정신세계에 대한 인간의 교류를
가능한 한 망쳐 놓겠다는 것인 듯합니다.
이렇게 말한다고 해서 물질주의적 문명
생활을 적대시하는 어떤 것을 말하려는 것은
아닙니다. 여러분의 눈 앞에 사실을 보여줄
뿐입니다.

22   잠드는 순간도 그렇습니다. 잠드는
순간에도 역시 정신세계는 중대한 방식으로
우리에게 다가옵니다. 그런데 우리는 금세
잠들고, 우리 영혼을 통과하는 것에 대한
의식을 잃고 맙니다. 물론 예외의 상태가
들어설 수도 있습니다. 그래도 잠에서
깨어나는 순간과 잠드는 순간은 망자와

교류하기 위한 가장 의미심장한 시간입니다. 뿐만 아니라 고차 세계의 다른 정신 존재들과 교류하기 위해서도 역시 그렇습니다. 그런데 이와 관련해 제가 말하려는 내용을 이해하려면, 여러분은 여기 물체의 차원에서는 제대로 적용할 수 없고, 그래서 실제로 존재하지 않는 표상을 필수적으로 습득해야 합니다. 시간적으로는 이미 지나 간 것이 정신적으로는 지나가지 않고 여전히 존재한다는 표상이 바로 그것입니다. 물체 세계에서는 공간과 관련해서만 지닐 수 있는 표상입니다. 여러분이 한 그루의 나무 앞에 서 있다가 지나갑니다. 얼마 후에 돌아보면, 그 나무는 사라지지 않고 아직 그 자리에 있습니다. 정신세계 안에서는 시간과 관련해서 그렇습니다. 여러분이 지금 어떤 것을 체험한다고 합시다. 그 체험은

물체 세계의 의식을 위해서는 사라지지만
정신적으로 보면 사라지지 않습니다.
나무를 되돌아 보듯이 정신세계에서 그
체험을 되돌아 볼 수 있습니다. 참으로
기이하게도 리하르트 바그너*는 이 사실을
알고 있었던 듯 합니다. 그는 "여기서
시간은 공간이 되니."라고 말했습니다. 여기
물체의 차원에서는 표현되지 않는 거리가
정신적인 것 안에서 실제로 생긴다는 사실은
비밀입니다. 한 가지 사건이 지나갔다 함은,
그 사건이 우리에게서 멀리 놓여 있다는 것을
의미합니다. 우리가 이제 고찰할 사례를 위해
이 점을 특히 주시하라 여러분께 당부하고
싶습니다. 그 이유가 있습니다. 육체를
가지고 지상에서 사는 사람에게 잠드는

---

* Richard Wagner(1813~1883), 오페라 〈파르치
  팔〉 1막에 나오는 기사 구르네만츠의 대사

순간은 깨어나는 순간에 이미 지나갔습니다.
그런데 그것을 정신세계 안에서 보면, 우리가
깨어나는 순간은 잠드는 순간에서 조금 멀리
떨어져 있을 뿐입니다. 이 사실을 반드시
숙지해야 합니다. 우리는 잠들 때 망자를
대면하고 있습니다._이미 이야기했듯이 우리는
늘 죽은 이들과 함께 살고 있습니다. 이것이 잠재의식
속에 머물 뿐입니다_ 그리고 잠에서 깨어날 때도
역시 망자를 대면하고 있습니다. 육체의
의식을 위해서는 두 가지가 다른 순간입니다.
정신적 의식을 위해서는 그 중 하나가 지금 막
다가오고 있는 다른 것보다 조금 멀리 떨어져
있을 뿐입니다. 앞으로 설명할 것을 위해 바로
이 사실을 반드시 기억해야 합니다. 그렇지
않으면 더이상 이해할 수 없습니다.

23 깨어나는 순간과 잠드는 순간은

죽은 이와 교류하기 위해 특히 중요하다고
이야기했습니다. 잠들고 깨어나는 순간에
망자와 아무 관계도 맺지 않는 경우는 인간의
삶에 절대 없습니다. 이 관계에 있어서
잠드는 순간은 우리가 망자에게 어떤 질문을
하기에 특히 유리합니다. 망자에게 어떤
것을 물어보고 싶다면, 잠드는 순간까지 그
질문을 생각하면서 마음 속에 품습니다.
질문이나 인사말, 혹은 전하고 싶은 말이
있다면 잠드는 그 순간까지 마음 속에 품고
있는 것이지요. 잠드는 순간은 망자에게
그런 것을 말하기에 유리합니다. 그런 것을
가장 쉽게 전달할 수 있는 시간입니다. 다른
시간에도 그렇게 할 수 있지만 가장 유리한
시간은 역시 잠드는 그 순간입니다. 우리가
어떤 것을 읽어주면서도 망자에게 접근할 수
있기는 합니다. 그런데 제가 의미하는 바는,

망자에게 전하고 싶은 것이 있거나 하고
싶은 말이 있어서 직접 교류하고자 한다면
잠드는 순간이 가장 유리하다는 것입니다.
그와는 반대로 망자가 우리에게 어떤 것을
전해야 하는 경우라면 깨어나는 순간이 가장
좋습니다. 여기에서도 역시 우리는 의식을
못할 뿐이지, 누구든 깨어나는 순간에 죽은
이에게서 수많은 소식을 전해 받습니다.
사실 우리는 영혼의 잠재의식 속에서 죽은
이와 끊임없이 이야기를 나눕니다. 잠들
때에는 망자에게 질문을 합니다. 영혼 깊은
곳에서 죽은 이에게 하고 싶은 말을 합니다.
깨어날 때에는 망자가 우리에게 말합니다.
그 순간에 망자는 우리에게 답합니다. 단, 그
두 순간은 두 개의 다른 지점이라 생각해야
합니다. 물체의 차원에서 두 지점이 동시에
있듯이, 시간적으로는 차례대로인 것이 실은

고차적인 의미에서 동시에 존재한다는 그
표상을 지녀야 할 뿐입니다. 망자와 교류할 때
그 중 한 지점은 유리하고 다른 지점은 별로
유리하지 않을 뿐입니다.

24 이제 다음과 같은 의문이 떠오릅니다.
무엇이 죽은 이와의 교류를 용이하게
만드는가? 네, 사랑하는 여러분, 사람이
살아있는 사람과 이야기를 나눌 때에는
어떤 의도가 있습니다. 그런데 그런 의도
대부분은 망자와 좋은 교류를 하기에 적절치
않습니다. 망자는 그런 것을 듣지 않습니다.
그런 것에 귀기울이지 않습니다. 그러니까
오후 다섯 시 무렵에 한가롭게 차나 커피를
마시면서 서로 이야기를 나누는 식의
분위기로 망자와 수다를 떨고 싶다. 그렇게는
할 수 없습니다. 우리가 망자에게 질문을

할 수 있도록 하는 것, 망자에게 어떤 것을
전할 수 있도록 하는 것, 그것은 감성 생활과
표상을 연결할 때입니다. 어떤 사람이 죽음의
문을 통과했다고 가정합시다. 여러분의
잠재의식이 저녁에 그 죽은 이에게 어떤 것을
전하고 싶어합니다. 그것을 의식적으로 전할
필요가 없습니다. 여러분은 그것을 하루 종일
준비할 수 있습니다. 낮에 열두 시간 동안
그것을 준비하고 밤 열 시 무렵에 잠자리에
들면, 잠드는 순간에 그것이 망자에게
건너갑니다. 단 질문을 특정 방식으로
해야 합니다. 그저 생각으로만, 표상으로만
질문해서는 안 됩니다. 죽은 이에게 느낌과
의지를 다해, 마음을 다해 질문해야 합니다.
깊은 관심을 가지고 몸과 마음을 다해서
망자에 대한 관계를 발달시켜야 합니다.
죽은 이가 아직 이 세상에 살아 있었을 적에

여러분이 어떤 경우에, 어디에서 사랑으로
그를 대했는지 기억해야 합니다. 그리고
바로 그렇게 사랑스러운 분위기로 망자를
대해야 합니다. 그러니까 추상적이 아닌
따뜻한 마음으로 관심을 가지고 망자를
대해야 한다는 것이지요. 그러면 그것이
여러분은 모르는 사이에 저녁에 잠들 때까지
망자에 대한 질문으로 이어집니다. 혹은 죽은
이가 살아 있었을 적에 특히 관심을 두었던
것을 여러분의 영혼 속에서 활성화하도록
노력합니다. 아니면 여러분이 망자와 어떻게
이 세상에서 함께 살았는지를 곰곰이
생각하는 것도 좋은 방법입니다. 여러분이
망자와 함께 했던 구체적인 순간을 마음
속에 생생하게 그립니다. 그리고 다음과 같이
질문해 봅니다. 나는 죽은 그 사람의 어떤
면에 특히 관심이 있었던가? 죽은 그 사람의

무엇이 나를 사로잡았던가? 죽은 그 사람의
어떤 면이 내게 깊은 인상을 남겼는가? 당시
어떤 상황에서 내가 다음과 같이 말했는가?
"그 사람이 내게 그런 것을 말해 주어서 정말
유익했다. 그 사람은 나를 뒷받침해 주었고,
그것은 내게 큰 의미가 있었다. 그가 한 말은
실로 흥미로웠다." 여러분이 망자와 깊이
연결되어 있었던 순간을, 여러분 내면에
강렬한 관심이 생겨났던 순간을 생생하게
다시 떠올리고, 그 분위기를 전환시켜서
망자와 이야기를 하고 싶다고, 망자에게
어떤 것을 말하고 싶다고 느끼면, 여러분이
그 느낌을 순수하게 발달시키면, 그리고
당시에 얻은 그 관심에서 질문을 발달시키면,
그러면 그 질문이 영혼 속에 머물고, 저녁에
잠드는 순간에 그 질문이나 전하고 싶은
것이 망자에게 건너갑니다. 물론 사람이 금새

잠들기 때문에 평범한 의식은 그에 대해
아는 바가 별로 없지만 망자에게 그렇게
건너간 것은 굉장히 자주 그러하기를 꿈 속에
남아 있습니다. 비록 내용상 그리 들어맞지
않는다 해도 소식을 전하고 싶은 그 죽은
사람의 꿈을 꿉니다. 그런데 우리는 그 꿈을
잘못 해석합니다. 우리가 꾸는 꿈을 죽은
이가 우리에게 보내는 소식으로 해석합니다.
그런데 사실 그 꿈은 우리가 망자에게 보내려
했던 소식이나 질문의 여운일 뿐입니다. 죽은
이의 꿈을 꾼다고 그 죽은 이가 우리에게
어떤 것을 말한다고 믿어서는 안 됩니다. 그
꿈은 우리 자신의 영혼에서 떠나가는 어떤
것, 달리 말해 망자에게 보내는 어떤 것으로
보아야 합니다. 망자에게 전하려는 소식이나
질문의 여운이지요. 우리가 망자에게 보내는
질문이나 전달 사항을 잠이 드는 순간에

지각할 수 있을 만큼 발달했다면, 그러면 흡사
죽은 이가 우리에게 말을 하는 듯이 보입니다.
바로 그래서 꿈 속의 그 여운이 우리에게는
죽은 이가 보내는 소식처럼 보이는
것이지요. 그런데 사실 그것은 우리에게서
나온 것입니다. 이는 망자에 대한 형안적
관계를 이해할 때에만 이해할 수 있습니다.
죽은 이가 외관상 우리에게 말을 하는 듯이
보이지만, 사실 그 말은 우리가 죽은 이에게
한 것입니다. 정신세계와 이 세상을 비교할 줄
모르면, 역시 이런 것을 알 수도 없습니다.

25   잠에서 깨어나는 순간은 망자가
우리에게 다가오기에 특히 좋은 시간입니다.
잠에서 깨어나는 순간에는 누구에게나
아주 많은 것이 죽은 이에게서 건너옵니다.
우리가 인생에서 행하는 것들 중 많은 것이

사실은 망자나 고차 서열의 존재로부터
받은 영감 덕분입니다. 그러나 우리는 어떤
일을 착수하며 우리가 잘나서 그런 일을
한다고 생각합니다. 망자가 말하는 것이
우리 영혼을 통해 나옵니다. 날이 밝아 오고
깨어나는 순간이 지나갑니다. 그리고 우리는
우리 영혼에서 비밀스럽게 떠오르는 것을
관찰하는 데에 거의 아무 관심도 없습니다.
그것을 관찰한다 해도, 그 모든 것들은
우리 영혼에서 나온다고 말할 수 있을 만큼
우리의 허영심은 거대합니다. 그런데 그 모든
것에는_우리 자신의 영혼에서 나오는 것 보다 훨씬 더
많이_ 죽은 이들이 말하려고 하는 것이 들어
있습니다. 죽은 이들이 우리에게 말하려는
것이 외관상으로는 우리 자신의 영혼에서
올라오기 때문입니다. 삶이 실제로 어떠한지
알기만 한다면, 사람들은 바로 그 앎에서

정신세계에 대해, 우리도 언제나 존재하고
죽은 이들도 살고 있는 그 정신세계에 대해
아주 특별하게 경외감을 발달시킬 것입니다.
그리고 사실은 죽은 이들이 우리 내면에서
작용한다는 것을 우리가 행하는 많은
것에서 알아보게 될 것입니다. 바로 이 점을
정신과학에서는 외형상의 이론적인 지식이
아니라 내면의 삶으로서, 영혼을 더욱 더
관통할 어떤 것으로서 발달시켜야 합니다.
호흡하는 공기처럼 우리 주변에 정신세계가
있다는 앎, 죽은 이들이 우리 주변에 있으며,
우리는 그들을 지각할 능력이 없을 뿐이라는
앎, 이 앎을 배워야 합니다. 죽은 이들은 우리
내면을 향해 말합니다. 하지만 우리는 우리
내면을 올바르게 해석할 줄 모릅니다. 우리가
우리 내면을 올바르게 해석한다면, 그렇게
우리 내면을 지각함으로써 망자라 불리는

영혼과 연결되어 있다는 것을 알게 됩니다.

26   그런데 어떤 영혼이 상대적으로 젊은
나이에 죽음의 문을 통과했는지, 아니면
나이가 들어서 이 세상을 떠났는지, 그 양자
간에는 커다란 차이가 있습니다. 우리를
사랑했던 어린 아이가 저세상으로 갔는지,
아니면 우리보다 더 나이가 든 사람이
저세상으로 갔는지, 이에는 커다란 차이가
있다는 것입니다. 정신세계와 관계하는
경험에 비추어 그 차이를 상술한다면,
대략 다음과 같은 방식으로 말할 수 있을
것입니다. 어린 아이가 이 세상을 떠난 경우,
그 아이와의 공생의 비밀은 다음과 같이
표현됩니다. "정신적으로 보면 사실 아이를
잃지 않았다. 아이는 정신적으로 여전히
내 곁에 있다. 정신적으로 고찰해 보면

어린 나이에 죽은 아이는 언제나, 실제로,
직접적으로, 고도로 우리 곁에 머문다."
우리는 이 주제를 더 상세히 다룰 것입니다.
지금 저는 계속해서 곰곰이 생각할 수 있는
명상의 화두 하나를 여러분의 영혼 앞에
세우고 싶습니다. "사실 우리는 우리를 떠난
아이들을 잃어버리지 않는다." 우리는 그
아이들을 잃어버리지 않습니다. 그 아이들은
정신적으로 늘 우리 곁에 머물러 있습니다.
그리고 우리보다 나이가 든 사람이 죽으면,
그와 반대로 다음과 같이 말할 수 있습니다.
"그들은 우리를 잃어버리지 않는다." 우리는
어린 나이에 죽은 아이를 잃어버리지 않고,
나이 들어 죽은 사람은 우리를 잃어버리지
않습니다. 나이가 든 사람이 이 세상을 떠나면
물론 정신세계 쪽으로 강하게 끌립니다.
그런데 바로 그렇기 때문에 물체 세계로

작용할 힘이 생겨서 우리에게 더 쉽게 접근할
수 있습니다. 아이들은 죽은 후에도 우리 곁에
머무는 반면 나이든 사람은 죽은 후에 물체
세계에서 훨씬 더 멀어집니다. 그 대신에 어린
나이에 죽은 사람에 비해 더 강한 지각 능력을
얻습니다. 그들은 우리를 간직합니다. 어린
나이에 죽은 영혼이든 늙어서 죽은 영혼이든
여러 영혼을 정신세계에서 만나보면 알
수 있습니다. 나이가 들어서 죽은 이는
아직 지상에 사는 영혼에 더 쉽게 파고들
힘을 가지고 있기 때문에 지상의 영혼들을
잃어버리지 않습니다. 아이들은 다소 간에
차이가 있다해도 지상의 인간 영역 안에
머물고, 우리는 그들을 잃어버리지 않습니다.

27   조금 다른 것에서 이 사실의 특성을
더 알아볼 수 있습니다. 여러분도 알다시피,

인간은 여기 평범한 물체의 차원에서 자신의
영혼으로 체험하는 것을 위해서도 역시
언제나 진정으로 깊이 느끼지는 않습니다.
사랑하는 누군가가 이 세상을 떠나면 우리는
슬퍼합니다. 사랑하는 이의 죽음에 고통을
느낍니다. 특히 우리 인지학 협회의 훌륭한
친구 중 누군가가 이 세상을 떠나면 제가 늘
하는 말이 있습니다. "인지학을 기준으로
하는 정신과학의 과제는 얄팍한 방식으로
사람들의 슬픔을 위로하면서 아픈 마음을
다독여 주는 데에 있지 않다. 사랑하는 이의
죽음에 마음이 아픈 것은 당연하다. 그저
위로 받으려고만 해서는 안 되고, 그 고통을
견딜 수 있도록 내적으로 강해져야 한다."
그런데 그 고통이 어린 나이에 죽은 사람
때문인지 아니면 나이가 들어 죽은 사람
때문인지, 그 차이는 보통 고려하지 않습니다.

정신적인 관점에서 보면 그 양자 간에는
아주 커다란 차이가 있습니다. 친자식이든
아니면 소중했던 다른 아이든 어쨌든 아이를
저세상으로 떠나 보내고 여기에 홀로 남은
사람은, 좀 기술적으로 표현해도 된다면
특정한 의미에서 동감하는 고통이라 말하고
싶은데, 그런 고통을 느낍니다. 아이들은
사실 우리 곁에 계속해서 머뭅니다. 바로
그래서 우리는 그들과 연결되어 있습니다.
그들이 우리한테 가깝게 머무르면서 그들의
고통을 우리 영혼에 전달합니다. 여전히
우리와 함께 있고 싶어 하는 아이들의 그
고통을 우리가 느낍니다. 우리가 그들의
고통을 함께 함으로써 죽은 아이들의 그
고통을 덜어줍니다. 사실 아이들은 우리
내면에서 느낍니다. 아이들이 우리 내면에서
우리와 함께 느낄 수 있어서 그들의 고통이

좀 가벼워진다면 좋은 일입니다. 그에 반해
부모든 친구든 나이가 든 사람이 이 세상을
떠난 경우 우리가 느끼는 그 고통은 사실
이기적인 고통이라 부를 수 있습니다. 늙어서
죽은 사람은 우리를 잃어버리지 않기 때문에
어린 나이에 죽은 사람이 느끼는 그 고통이
없습니다. 나이가 들어 죽은 사람은 우리를
잃어버리지 않고 간직합니다. 여기 육체를
지니고 사는 우리는 그를 잃어버렸다고
느낍니다. 그래서 그 고통은 우리 문제일
뿐입니다. 이기적인 고통이라는 말이지요.
아이가 죽은 경우 우리는 죽은 아이의
고통을 함께 느끼는 반면, 나이 든 사람이
죽은 경우에는 우리 자신을 위해 고통스러워
합니다.

28 　　이 두 가지 종류의 고통은 정말로

아주 정확하게 구분할 수 있습니다. 나이가 들어 죽은 사람을 생각하면서 느끼는 이기적인 고통, 어린 나이에 죽은 사람과 동감하는 고통. 아이는 우리 안에서 계속해서 살아갑니다. 그리고 우리는 사실 아이가 느끼는 그 고통을 느낍니다. 정말로 우리가 자신의 영혼을 위해 슬퍼하는 것은 늙어서 저세상으로 떠난 사람에 대해서 일 뿐입니다. 이 사실은 무의미하지 않습니다.

29 바로 이런 주제에서 정신세계에 대한 앎은 커다란 의미가 있다는 것을 제대로 알아볼 수 있습니다. 이 사실을 근거로 특정 의미에서 망자를 기리는 예식 형태를 결정할 수 있기 때문입니다. 우리를 떠난 아이를 위한 예식에 완전히 개인적인 것은 별로 어울리지 않습니다. 아이는 어쨌든 우리 곁에

계속해서 머물고 우리 내면에서 살고 있기 때문에 아이에 대한 기억을 되살릴 때에는 그 모양이 좀더 일반적인 방향을 띠도록 하는 편이 낫습니다. 달리 말해 우리와 함께 살고 있는 아이에게 일반적인 어떤 것을 주는 식으로 해야 한다는 것이지요. 바로 그래서 아이를 위한 예식인 경우 특별한 조사弔死를 하기 전에 먼저 장례식을 치러야 합니다. 장례식은 각자 믿는 종교에 따라 적절하게 선택해야 한다고 말하고 싶습니다. 구교는 사실상 조사 없이 애도하는 의식, 그러니까 추도식만 합니다. 그것은 일반적인 어떤 것이고, 모두를 위해 동등합니다. 모두에게 동등하게 해당될 수 있는 그 예식은 아이를 위해서 특히 좋습니다. 세상을 떠난 아이를 기억하는 의식은 모두에게 똑같이 해당될 수 있는 식으로 거행하는 편이 낫습니다. 나이가

들어서 세상을 떠난 사람을 위해서는 예식이
개인적일수록 더 의미가 있습니다. 늙어서
죽은 사람을 위한 최상의 예식은 우리가 그
사람의 인생을 되돌아 보는 것입니다. 신교
특유의 조사, 죽은 이의 인생을 되돌아 보는
그 조사는 죽은 이를 위해 커다란 의미가
있습니다. 그러니까 구교의 장례식은 늙어서
세상을 떠난 사람을 위해서는 별 의미가
없다는 의미지요. 그런데 그 외에도 죽은 이를
기억할 때에는 다음과 같이 합니다. 아이의
경우에는 죽은 그 아이와 연결되어 있다는
분위기로 들어갑니다. 그 다음에 생각을
아이한테 집중하려고 노력합니다. 그러면 그
생각이 잠드는 순간에 아이에게 전해집니다.
일반적인 내용의 생각이라면 더 낫습니다.
예를 들어서 다소 간에 차이는 있다 해도 모든
죽은 이를 기릴 수 있는 것이라야 합니다.

늙어서 이 세상을 떠난 사람의 경우에는
필수적으로 바로 그 사람 개인을 생각해야
합니다. 바로 그 사람 개인에 초점을 맞추고,
그 사람이 관심을 두었던 것, 그 사람과 함께
했던 일들을 생각합니다. 늙어서 이 세상을
떠난 사람과 올바른 관계에 들어서고자
하는 경우 실로 커다란 의미가 있기로는
우리 스스로의 내면에 그 사람의 본성을, 그
사람 자체를 생생하게 되살려서 현재화하는
것입니다. 그가 했던 말이나, 그 사람에게서
특별하게 느꼈던 것을 그저 기억하는 데에
그쳐서는 안 됩니다. 개인으로서 그가 어떤
사람이었는지, 그가 이 세상을 위해 어떤
가치가 있는지, 그런 것을 내면에 활성시켜야
나이가 들어 세상을 떠난 이를 올바르게
기리는 것이고, 또한 그 사람과 관계를 맺을
수 있습니다. 보다시피 우리가 발달시키는

외경심은 어린 나이에 세상을 떠난 사람이든
늙어서 세상을 떠난 사람이든 망자와
관계하는 방식을 밝히는 데에 커다란 의미가
있습니다.

30 　전쟁으로 인해 어린 나이에 죽는
사람들이 숱한 현재 우리가 그나마 다음과
같이 말할 수 있다면 얼마나 다행일지 한
번 생각해 보십시오. "그들은 사실 언제나
우리 가까이에 있다. 그들은 세상에서
사라지지 않았다." 이 자리에서 제가 바로 이
점을 다른 관점에서 이미 이야기했습니다.
그런데 정신적인 주제는 다양한 관점에서
고찰해야 합니다. 그리고 정신세계에 대한
의식을 지니는 상태가 되면, 그러면 정신적인
관계에서 보아 한 가지가 현재의 이 끝없는
슬픔에서 나와 펼쳐질 수 있습니다. 어린

나이에 세상을 떠난 이들이 우리 곁에
계속해서 머물기 때문에 이루어지는 죽은
이들과의 그 공생을 통해 활발한 정신생활이
생겨날 수 있다는 것입니다. 물질주의가
무소불위의 권력을 행사할 수 없어서
아리만이 인류의 모든 힘을 짓누를 수도
승리할 수도 없다면, 그 정신생활이 생겨날 수
있습니다.

31　　제가 오늘 여러분께 이야기한 내용은,
여기 물체의 차원에서 몇몇 사람들이 다음과
같이 말할 법한 양식의 것이기는 합니다.
"그래, 그런 것은 내게 너무 소원하다. 내가
원하는 바는 정신세계와 올바른 관계에
들어서기 위해 아침 저녁으로 행할 수
있는 것이다." 그런 태도는 사람이 온전히
올바르게 사고하지 않기 때문에 생겨납니다.

정신세계를 마주 대할 때의 중점은 사람이
그 세계에 관해 어떻든 간에 자신의 사고를
발달시켜야 한다는 것입니다. 그리고 어떤
사람에게 외관상 망자는 멀리 있고, 자신의
인생은 가까이 있어 보인다 해도, 오늘 이
자리에서 펼쳐낸 바와 같은 사고 내용이
우리 영혼을 거쳐 지나가도록 하면, 달리
말해 우리의 직접적인 생활에, 외적인
삶에 외관상 소원하게 마주 서있는 어떤
것을 철저히 생각하면, 그것이 바로 우리
영혼을 더 고양시키는 어떤 것, 우리 영혼에
정신적 양식과 힘을 부여하는 어떤 것이
됩니다. 우리를 정신세계로 인도하는 것은
외관상 우리 가까이 있는 것이 아니라 일단
정신세계에서 나온 것입니다. 바로 그래서
그런 사고 내용을 곰곰이 생각하면서 영혼
속에 자주 되살려 내기를 마다해서는 안

됩니다. 삶을 위해, 심지어는 물질주의적
삶을 위해서도 정신적인 것과의 공존에 대한
철저한 확신을 지니는 것보다 더 중요한
것은 세상에 없습니다. 근대 인류가 정신적인
것과의 관계를 그렇게 심하게 소실하지
않았더라면, 현재의 이 고통스러운 시간은
오지 않았을 것입니다. 비록 오늘날에는 극히
소수의 사람만 이 깊은 관계를 알아보지만
미래에는 다수가 인정할 것입니다. 오늘날
사람들은 죽음의 문을 통과하고 나면 물체
세계와 관계하는 활동을 더 이상 하지 않을
것이라고 믿습니다. 그렇지 않습니다. 그
활동은 결코 멈추지 않습니다. 죽은 자와 산
자 간에 활발한 교류가 계속해서 일어납니다.
죽음의 문을 지나간 사람들은 존재하기를
결코 멈추지 않았으며, 우리의 눈이 그들을
보기를 멈추었을 뿐이라고 말할 수 있습니다.

그들은 여전히 우리 곁에 있습니다. 우리의 생각, 우리의 느낌, 우리의 의지 자극은 그들과 연결되어 있습니다. 왜냐하면 바로 죽은 이들에게도 복음서의 말씀은 해당되기 때문입니다. "겉모양만 보고 그들을 찾지 말라, 신의 세계는 바로 너희들 한가운데에 있으니."*

32 그와 마찬가지로 어떤 외적인 것에서 죽은 이들을 찾아서는 안 됩니다. 죽은 이들은 언제나 우리 곁에 있다는 사실을 그저 제대로 의식해야 할 뿐입니다. 역사상의 모든 사실, 사회의 모든 것, 도덕 생활의 모든 것은 이른바 산 자와 죽은 자들 간의 협력을

---

* 루가의 복음서 17장 20절~21절. 하느님 나라가 오는 것을 눈으로 볼 수는 없다. '보아라, 여기 있다.' 혹은 '저기 있다'고 말할 수도 없다. 하느님 나라는 바로 너희 가운데 있다.

통해 일어납니다. 그리고 사람이 이 물체
세계에 든든히 발을 딛고 있을 적에 떠오르는
의식뿐만 아니라, 내면의 올바른 감각을
근거로 해서 세상을 떠난 사랑하는 이들에게
"죽은 이여, 너는 우리와 함께 있으니."라고
말할 수 있는 경우에 떠오르는 의식도 가지고
살면, 그렇게 함으로써 인간 자신의 존재
전체가 특별하게 강화된다는 것을 체험할
수 있습니다. 왜냐하면 이 역시, 다양한
부분들이 함께 짜맞춰진 정신세계에 대한
올바른 앎, 올바른 인식에 속하기 때문입니다.
우리가 정신세계에 대해 말하고 사고하는 그
양식이 그 정신세계 자체에서 직접적으로
나올 때에만 우리는 정신세계에 대해 올바른
의미에서 안다고 말할 수 있습니다.

33   "죽은 이들은 우리 한가운데에

존재한다." 이 문장 자체가 정신세계의 존재에 대한 일종의 확증입니다. 그리고 오로지 정신세계만 죽은 이들이 우리 한가운데에 있다는 사실에 대한 진정한 의식을 불러일으킬 수 있습니다.

··

사랑하는 여러분, 다른 무엇보다도 이 험난한 시기에 저 바깥의 전쟁터에, 인류 발달을 위해 너무나 많은 것이 결정되어야 할 그 전쟁터에 서 있는 형제들을 기리는 것이 지난 몇 년 간 우리의 관례가 되었습니다. 우리가 고찰을 시작하기 전에 그들을 보호하는 정신들을 부르면서 전쟁터에 있는 사람들을 기리도록 합시다.

땅의 영혼들을 지키는 이들이여,

땅의 영혼들을 돌보는 이들이여,

정신들이여, 인간영혼을 보호하면서

세계 지혜로부터 사랑으로 일하는 이들이여:

우리의 간청을 들으소서, 우리의 사랑을 돌아보소서,

임들 구원력의 빛살로 합일을 원하네:

정신을 바치면서, 사랑을 보내면서.

이제 전쟁으로 인해 죽음의 문을 통과한 이들을 보호하는 정신들을 향합시다.

하늘의 영혼들을 지키는 이들이여,

하늘의 영혼들을 돌보는 이들이여,

정신들이여, 영혼인간을 보호하면서

세계지혜로부터 사랑으로 일하는 이들이여;

우리의 간청을 들으소서, 우리의 사랑을 돌아 보소서.

임들 구원력의 흐름으로 합일을 원하네,

정신을 예지하면서, 사랑을 뿜어내면서.

우리가 정신과학을 통해 가까이 다가서고자 하는

그 정신, 지구에는 은총을, 인류에는 자유와 진보를 주고자 골고다의 신비를 통과해 가기를 원했던 그 정신, 그가 임들과 함께 할지니, 임들의 무거운 의무와 함께 할지니.

..

루돌프 슈타이너 약력과 저작물에 대한 개관

1861   2월 27일 오스트리아 남부 철도청 소속 공무원의 아들로 크랄예베치(지금은 크로아티에 속함)에서 태어남. 오스트리아 동북부 출신의 부모 밑에서 오스트리아의 여러 지방에서 유년기와 청소년기를 보냄

1872   비너 노이슈타트 실업계 학교에 입학해 1879년 대학 입학 전까지 수학

1879   빈 공과 대학에 입학. 수학과 자연과학을 비롯하여 문학, 철학, 역사를 공부하고 괴테에 관한 기초 연구 시작

1882   최초의 저술활동 시작

1882~1897   요세프 퀴르쉬너가 주도하는 〈독일 민족 문학〉 전집에서 괴테의 자연과학 논문에 서문과 주해를 덧붙이는 일을 맡아 『괴테의 자연과학 저술에 대한 도입문과 주석』 5권 *(GA 1a~e)* 발간

1884~1890   빈의 한 가정에서 가정교사로 생활

1886   '소피' 판 괴테 작품집 발간에 공동 작업자로 초빙. 『실러를 각별히 고려한 괴테 세계관의 인식론 기본 노선들』 *(GA 2)*

1888   빈에서 〈독일 주간지〉 발간. *(GA 31)* 빈의 괴테 협회에서

강연 『인지학의 방법론적 근거: 철학, 자연과학, 미학과 심리학에 관한 논문집』 (GA 30)

1890~1897 바이마르에 체류하면서 괴테/실러 문서실에서 공동 작업. 괴테의 자연과학 저작물 발간

1891 로스토크 대학에서 철학박사 학위를 취득하고 이듬해에 박사 학위 논문 증보판 출판. 〈진리와 과학: 『자유의 철학』서곡〉 (GA 3)

1894 『자유의 철학: 현대 세계관의 근본 특징, 자연과학적 방법에 따른 영적인 관찰 결과』 (GA 4)

1895 『프리드리히 니체: 시대에 맞선 투사』 (GA 5)

1897 『괴테의 세계관』 (GA 6) 베를린으로 거주지를 옮기고 오토 에리히 하르트레벤과 함께 〈문학 잡지〉와 〈극 전문지〉 발행.(GA 29~32) '자유 문학 협회', '기오르다노 브루노 연맹', '미래인' 등에서 활동

1899~1904 빌헬름 리프크네히트가 세운 베를린 '노동자 양성 학교'에서 교사로 활동

1900~1901 『19세기의 세계관과 인생관』집필 (1914년 확장판으로 『철학의 수수께끼』 (GA 18) 발표) 베를린 신지학 협회 초대로 〈인지학〉 강연 『근대 정신생활 출현시기의 신비학과 현대 세계관과의 관계』 (GA 7)

1902~1912 〈인지학〉을 수립하고 정기적인 공개 강연(베를린)과 유럽 전역을 대상으로 하는 강연 활동 시작. 지속

적인 협력자로 마리 폰 지버스(1914년 슈타이너와 결혼, 이후 마리 슈타이너)를 만남

1902 『신비로운 사실로서의 기독교와 고대의 신비들』(GA 8)

1903 잡지 〈루시퍼〉(나중에 〈루시퍼-그노시스〉로 변경) 창간. (GA 34)

1904 『신지학: 초감각적 세계 인식과 인간의 목적에 대한 소개』(GA 9)

1904~1905 『고차 세계의 인식으로 가는 길』(GA 10) 『아카샤 연대기에서』(GA 11) 『고차적 인식의 단계들』(GA 12)

1909 『신비학 개요』(GA 13)

1901~1913 뮌헨에서 『네 편의 신비극』(GA 14) 초연

1911 『인간과 인류의 정신적 인도』(GA 15)

1912 『인지학적 영혼의 달력: 주훈週訓』(GA 40) 『인간 자아 인식으로 가는 길』(GA 16)

1913 신지학 협회와 결별. 인지학 협회 창립. 『정신세계의 문지방』(GA 17)

1913~1922 첫 번째 괴테아눔 (목재로 된 이중 돔형 건축물로 스위스 도르나흐에 있는 인지학 본부) 건축

1914~1923 도르나흐와 베를린에 체류하면서 유럽 전역을 순회하며 강연 및 강좌 활동. 이를 통해 예술, 교육, 자연과학, 사회생활, 의학, 신학 등 수많은 영역에서 쇄신

이 일어나도록 자극. 동작예술 오이리트미(Eurythmie, 1912년 마리 슈타이너와 함께 만듦)를 발전시키고 교육

1914 『인간의 수수께끼에 관해』 *(GA 20)* 『영혼의 수수께끼에 관해』 *(GA 21)* 『〈파우스트〉와 〈뱀과 백합의 동화〉를 통해 드러나는 괴테의 정신적 본성』 *(GA 22)*

1919 남부 독일 지역에서 논문과 강연을 통해 '사회 유기체의 삼지적 구조' 사상을 주장. 『현재와 미래의 불가피한 사항에 있어서 사회 문제의 핵심』 *(GA 23)*, 『사회 유기체의 삼지성과 시대 상황(1915~1921)에 대한 논문』 *(GA 24)* 같은 해 10월에 슈투트가르트에 죽을 때까지 이끌어 가는 '자유 발도르프학교' 세움

1920 제 1차 인지학 대학 강좌 시작. 아직 완성되지 않은 괴테 아눔에서 예술과 강연 등 행사를 정기적으로 개최

1921 본인의 논문과 기고문을 정기적으로 싣는 주간지 〈괴테아눔〉 *(GA 36)* 창간

1922 『우주론, 종교 그리고 철학』 *(GA 25)* 12월 31일 괴테아눔 방화로 소실(이후 콘크리트로 다시 지을 두 번째 괴테아눔의 외부 형태 설계)

1923 지속적인 강연과 강연 여행. 같은 해 성탄절에 '인지학 협회'를 '일반 인지학 협회'로 재창립

1923~1925 미완의 자서전 『내 삶의 발자취』 *(GA 28)* 및 『인지학의 기본 원칙』 *(GA 26)* 그리고 이타 베그만 박

사와 함께 『정신과학적 인식에 따른 의술 확대를 위한 기초』 *(GA 27)*를 집필

1924 강연 활동을 늘리면서 수많은 강좌 개설. 유럽에서 마지막 강연 여행. 9월 28일 회원들에게 마지막 강연. 병상 생활 시작

1925 3월 30일 도르나흐에 있는 괴테아눔 작업실에서 눈을 감다.

옮긴이의 말

이 강연은, 푸른씨앗 출판사가 동시에 소책자로
출판하는 『천사는 우리의 아스트랄체 속에서 무
엇을 하는가?』, 『어떻게 그리스도를 발견하는가?
』와 함께 동명의 단행본인 루돌프 슈타이너 전
집 182 『죽음, 이는 곧 삶의 변화이니!』에 실려
있다.

슈타이너의 강연집을 읽는 독자는 내용을
좀 더 질적으로 이해하기 위해 강연의 배경과 청
중에 관해 조금은 알고 있어야 하고, 행간에서 강
연장의 분위기를 짚어내려고 애를 써야 한다. 이
는 이 강연에 특히 해당하는 사항이라 생각한다.

이 강연의 정서를 함께 체험하고자 한다면, 패전의 막바지에 처한 독일 사회의 상태와 그에 얽힌 개인의 비극을 생생하게 그려볼 수 있어야 한다. 1914년에 일어나 4년 간 이어진 전쟁은 유럽 안에만 약 7백만명의 사망자를 냈다. 그러니 거의 모든 사람이 사랑하는 가족이나 친지, 친구를 잃었다 해도 과언이 아닐 것이다. 특히 전쟁터에서 목숨을 잃은 청소년들의 부모는 이루 말할 수 없이 비통한 심정이 아니었겠는가. 필시 이 강연의 청중도 대부분 그런 사람이었을 것이다. 이런 정황을 염두에 두면, 이 강연은 그들을 진심으로 위로하는 말로, 그런데 한 번이 아니라 수없이 반복해서 위로하는 말로 들린다. 그리고 꼭 전쟁이 아니라고 해도 소중한 사람을 앞서서 저세상으로 떠나보낸 사람에게도 슈타이너의 다음 말은 깊은 위로가 될 것이다.

"전쟁으로 인해 어린 나이에 죽는 사람들이 숱한 현재 우리가 그 나마 다음과 같이 말할 수 있다면 얼마나 다행일지 한 번 생각해 보십시오. 그들은 사실 언제나 우리 가까이에 있다. 그들은 세상에서 사라지지 않았다."

번역과 교정을 거치면서 더러는 삭제해야 할 정도로 같은 말이 계속해서 반복되기 때문에 읽으면서 좀 지루하다고 느끼는 사람도 있을 것이다. 그런데 옮긴이는 그렇게 끝없이 반복되는 단어에서 슈타이너의 끝없는 인간애를 느낄 수 있어서 개인적으로는 다른 어떤 강연보다 이 강연을 더 애호한다.

지금은 이 강연과 앞에 언급한 두 가지 강연이 각기 소책자로 출판되지만, 언젠가는 단행본 자체가 출판되기를 기대한다. 푸른씨앗 출판사에, 특히 출판을 주선하신 하주현 님과 교정을 보신 백미경 님께 고마운 마음을 전하고 싶다.

··

죽음, 이는 곧 삶의 변화이니!
Rudolf Steiner 강연 \ 최혜경 옮김

1판 1쇄 발행 2017년 12월 25일

펴낸이 발도르프 청소년 네트워크 도서출판 푸른씨앗
　　　편집 백미경,최수진 디자인 유영란,이영희
　　　번역·기획 하주현 마케팅 남승희 해외 마케팅 이상아

　　　등록번호 제 25100-2004-000002호
　　　등록일자 2004.11.26.(변경신고일자 2011.9.1.)
　　　주소 경기도 의왕시 청계동 440-1 전화 031-421-1726
　　　전자우편 greenseed@hotmail.co.kr 홈페이지 www.greenseed.kr
　　　페이스북 www.facebook.com/greenseedbook

이 책의 국립중앙도서관 출판예정도서목록(CIP)은 서지정보유통지원시스템 홈
페이지(seoji.nl.go.kr)와 국가자료공동목록시스템(nl.go.kr/kolisnet)에서 이용
하실 수 있습니다.(CIP제어번호: CIP2017033308)

값 6,000 원
ISBN 979-11-86202-18-0 / 9791186202159 (세트)

재생 종이로 만든 책

푸른 씨앗의 책은 재생 종이에 콩기름 잉크로 인쇄합니다.
걸지_ 두성종이 마분지 209g/m²
속지_ 전주페이퍼 Green-Light 100g/m²
인쇄_ (주) 재능인쇄 | 031-948-5414